Max Liebermann erzählt aus seinem Leben

Regina Scheer

Max Liebermann

erzählt aus seinem Leben

Mit Original-Tondokument

vbb verlag für berlin-brandenburg

Mitherausgeber:
Deutsches Rundfunkarchiv
www.dra.de

Wir danken der Stiftung Neue Synagoge Berlin –
Centrum Judaicum für die freundliche Unterstützung.

Satz und Gestaltung: Tina Raccah, Berlin
Umschlaggestaltung unter Verwendung eines Liebermann-Porträt-
fotos von Abraham Pisarek, ca. 1932, Bildarchiv Pisarek/akg-images
Druck: Druckhaus Nomos, Sinzheim
Bindung: Josef Spinner Großbuchbinderei, Ottersweier

ISBN: 978-3-942476-05-8

2. Auflage 2011
© Verlag für Berlin-Brandenburg
Inh. André Förster
Binzstraße 19, D–13189 Berlin
www.verlagberlinbrandenburg.de

*Geboren bin ich in Berlin, mein Geburtshaus steht
aber längst nicht mehr. Es stand in der Burgstraße.
Wisst ihr, wo die Burgstraße ist? Da, an der Spree …*

Max Liebermann im Deutschlandsender am 13. April 1932

Max Liebermann in seinem Atelier am Pariser Platz, Foto von Fritz Eschen, 1927

„Kinder, macht mir das nicht nach!"
Max Liebermanns Erinnerung an seine Kindheit in der letzten Rundfunksendung vom April 1932

Dieser Künstler war ein Bürger. Selbst bei der Arbeit, im Atelier, ließ er sich meist korrekt gekleidet mit blütenweißem Hemd und Fliege fotografieren. Die äußere Haltung war ihm wichtig, preußische Pünktlichkeit sagte man ihm nach, er verlangte sie selbstverständlich auch von anderen.

Vielleicht brauchte er diesen festen Rahmen, um seine innere Unruhe und lange Zeit auch seine Unsicherheit zu beherrschen, um arbeiten zu können, denn das schien ihm das Wichtigste: etwas zu schaffen. Seine Bilder, das wusste er, würden ihn überleben.

Dass auch seine Stimme ihn überdauern würde, dass man ihn hören könnte, wenn es den Menschen Max Liebermann schon lange nicht mehr geben würde, war in der Kindheit und Jugend des Malers unvorstellbar, unmöglich. Am Ende seines Lebens jedoch war er mit Tonaufnahmen vertraut.

Es sind einige, allerdings meist unvollständige, Tondokumente Max Liebermanns erhalten. Das sind vor allem Reden, die er als Präsident der Preußischen Akademie der Künste gehalten hat. Da er jede dieser Reden mit Sorgfalt schriftlich vorbereitete, lassen sie sich anhand der Manuskripte rekonstruieren und sind heute in Sammelbänden nachzulesen.

Vollständig erhalten jedoch ist das Tondokument, das mit dieser Publikation vorgestellt wird, auch sein Inhalt ist einzigartig, nicht zu vergleichen mit den Reden des Akademiepräsidenten über Kunst und Künstler, obwohl es auch hier um Kunst geht oder, genauer gesagt, um ihre Quellen, und obwohl auch hier ein Künstler der Gegenstand der Reflexion ist: Max Liebermann selbst. *Aus meinem Leben* heißt der Vortrag des fast fünfundachtzigjährigen Malers, den der Deutschlandsender am 13. April 1932 sendete.

Es war eine Rundfunkstunde für Kinder, vielleicht hatte Max Liebermann deshalb zugesagt, die Redakteure in seinem Haus am Pariser Platz zu empfangen. Immer hat er Kinder ernst genommen und seine einzige Tochter Käthe und auch seine Enkeltochter Maria, die wenige Wochen vor dieser Sendung fünfzehn Jahre alt geworden war, liebte er innig. Für Kinder sei gerade das Beste gut genug, hatte er 1896, seine Tochter war elf Jahre alt, in einem Brief an Alfred Lichtwark geschrieben, den Direktor der Hamburger Kunsthalle, einen der wenigen Menschen, die er Freund nannte. Der Maler

Max Liebermann vor seiner Villa am Wannsee in Berlin, 1932

bat den Freund, ihn nicht auszulachen „wegen meines Pelikan-Charakters". (Bei den Pelikanen brütet auch das Männchen, außerdem gibt es den Mythos, dass sie sich „die Brust aufreißen" für den Nachwuchs.)

Liebermann sah Kinder als Persönlichkeiten, als Menschen mit einem eigenen Charakter und einer eigenen Geschichte, das zeigen auch seine Kinderbildnisse. Zum siebzigsten Geburtstag seines Vaters Louis Liebermann im Jahre 1889 hatte er ihm ein kleines Ölbild der vierjährigen Käthe geschenk: *Kind, an der Truhe spielend.* Das Mädchen ist liebevoll gemalt, realistisch, aber nicht niedlich. Seine Eltern schätzten dieses Bild nicht, sie teilten den Kunstgeschmack ihrer Zeit und ihrer gesellschaftlichen Kreise, sie bevorzugten die gefälligen Kinderporträts Ludwig Johann Passinis, von dem sie andere ihrer Enkel malen ließen. Solche Erfahrungen hatten Max Liebermanns Weg als Maler begleitet, er hatte lange Zeit unter der Ablehnung seiner Kunst gelitten und besonders die Skepsis seiner Angehörigen hatte ihn gekränkt. Doch er ging den Weg, den er gehen musste und nahm den Erfolg, der sich recht spät, dann aber im Übermaß einstellte, als etwas Äußeres, im Grunde nichts Wesentliches, wenngleich Anerkennung ihn natürlich befriedigte und er auch gelernt hatte, wie

Max Liebermann: Kind, an der Truhe spielend, Öl auf Holz, 1888, Privatbesitz

wichtig gesellschaftliche Geltung sein kann, um eigene Ziele zu erreichen.

Als er für die Kindersendung des Deutschlandsenders über seine Kindheit und Jugend sprach, war er ein berühmter, wohlhabender Mann, hatte als Künstler alles erreicht, was zu erreichen war. Seit elf Jahren war er Akademiepräsident, er war Ehrenbürger seiner Heimatstadt Berlin und besaß die höchsten Orden und Auszeichnungen.

Und doch war dieses Jahr 1932 – das Schicksalsjahr der Weimarer Republik – auch in seinem eigenen Leben eine bittere Zeit, ein Jahr, in dem der Absturz in Einsamkeit und Abschiede sich ankündigten. Schon im Jahr zuvor hatte er an den Schriftsteller Arthur Galliner geschrieben, er habe sich sein Alter anders vorgestellt, auch wenn es ihm noch relativ besser gehe als Tausenden anderer Menschen.

Das Jahr 1932 hatte mit sechs Millionen Arbeitslosen begonnen, die Folgen der Weltwirtschaftskrise deformierten alle Bereiche der Gesellschaft, das spürte der Maler, auch wenn er selbst weit entfernt von Elend und Armut lebte. Er spürte den wieder erstarkenden Antisemitismus. Antisemitische Briefe und Artikel, die seine Person betrafen, enthielt man ihm vor, doch war er höchst sensibel für diese Strömungen und sie erbitterten ihn, auch wenn er sich zu diesem Zeitpunkt wohl kaum vorstellen konnte, dass seine eigene Familie und er selbst gefährdet waren.

Am meisten aber litt er unter dem sich verändernden politischen Klima in der Akademie der Künste. Richtungskämpfe, Auseinandersetzungen unter den Künstlern und mit dem Kulturministerium hatte es immer gegeben. Die rechte Presse hatte Liebermanns Präsidentschaft von Anfang an als „völkische Schande" angeprangert, die Akademie sei „verjudet" und „Brutstätte bolschewistischer Ideologie". Er war dieser Hasstiraden müde.

Unter den Akademiemitgliedern hatte er seine Verbündeten, Käthe Kollwitz, Philipp Franck, Max Pechstein, Karl Hofer, Emil Orlik und andere, aber die internen Angriffe und Vorwürfe nahmen zu, offen wurde nationalsozialistische Gesinnung zur Schau getragen. Um die Akademie von innen her zu erneuern, schlug eine Reformkommission dreizehn progressive Künstler als neue Mitglieder vor. Max Liebermann als Präsident und der Kultusminister Adolf Grimme stimmten zu und so wurden Otto Dix, Ernst Ludwig Kirchner, Emil Nolde, Renée Sintenis, Ludwig Mies van der Rohe,

Eröffnung einer Ausstellung in der Akademie der Künste; in der Bildmitte
Max Liebermann, 1922

14

Bruno Taut und andere zu Akademiemitgliedern berufen. Das stärkte Max Liebermanns Position und es schwächte sie. Die neuen Mitglieder waren ein Gegengewicht zu den erstarkenden Reaktionären. Aber die nannten den Vorgang eine „Vergewaltigung der Akademie", weil nicht alle einzelnen Mitglieder abgestimmt hatten. Ausgerechnet Max Liebermann, der sich immer für die Freiheit und Unabhängigkeit der Akademie eingesetzt hatte, musste sich nun vorwerfen lassen, diese Prinzipien beschädigt zu haben. Die Auseinandersetzungen und Feindseligkeiten rissen nicht ab. Durch Heinrich Mann, den Vorsitzenden der Sektion für Dichtkunst, erfuhr er, dass das Kultusministerium schon nach einem Nachfolger suche und Thomas Mann ins Vertrauen gezogen habe, der Name Gerhart Hauptmann sei gefallen.

Max Liebermann verzichtete zum Ablauf des Geschäftsjahres 1931/32 auf eine weitere Kandidatur. Im Juni 1932 wurde er vom Gesamtsenat zum Ehrenpräsidenten der Akademie der Künste ernannt, aber doch blieb es ein Rückzug, ein Verlust. Ende des Jahres 1932 schrieb Liebermann über seinen Rücktritt an Max Lehrs, den Direktor des Dresdner Kupferstichkabinetts: „… ich konnte nicht mehr: ich hielt es einfach nicht mehr aus."

Max Liebermann in seinem Atelier; im Hintergrund ein von ihm gemaltes Porträt des Chirurgen Ferdinand Sauerbruch, Foto von Herbert Hoffmann, 1932

Doch kann er nicht froh gewesen sein über seinen Nachfolger, den Musiker Max von Schillings, der seine ablehnende Haltung zur Weimarer Republik und seine antisemitische Einstellung immer deutlich gezeigt hatte. Das Jahr 1932, in dem Max Liebermann die Redakteure des Deutschlandsenders in sein Haus ließ, um für die Kindersendung über seine eigene Kindheit zu erzählen, war auch ein Jahr großer gesundheitlicher Probleme für den alten Maler.

Mitte 1932 musste er sich bei dem Arzt Ferdinand Sauerbruch einer Operation unterziehen. Sauerbruch war einer der berühmtesten Ärzte Berlins und in der Alsenkolonie am Wannsee, wo Max und Martha Liebermann seit 1910 ein Sommerhaus besaßen, einer der Nachbarn.

Liebermann hatte viele Bewunderer, konnte sich der Besucher kaum erwehren, doch die Zeit des Rückzugs hatte für ihn begonnen. Schon 1928 war seine Tochter mit ihrem Mann Kurt Riezler nach Frankfurt am Main gezogen, wo Riezler eine Stelle an der Universität antrat. Natürlich ging Maria, die mit ihrer häufigen Anwesenheit Freude ins Haus der Großeltern gebracht hatte, mit ihren Eltern. Es wurde stiller um Max und Martha Liebermann. Angesichts der Politik suchten sie Trost in dem, was ihnen unvergänglich erschien. Wenn sie in ihrem Haus am Wannsee waren, spazierten sie mehrmals in der Woche zu den Gärten des Neuen Palais. Max Liebermann, der seit seiner Studentenzeit in Weimar ein großer Verehrer von Goethes Werken war, las fast täglich Goethe. Der Briefwechsel zwischen Goethe und Schiller sei seine Bibel, bekannte er einmal. Im März 1932, einen knappen Monat vor seinem Rundfunkvortrag, noch war er Akademiepräsident, hielt er anlässlich der Ausstellung *Goethe und seine Welt* eine Rede, in der er dem „einzigartigen Genius, den Gott uns, der Welt, geschenkt hat" als Dichter huldigte und ihn doch klar des Dilettantismus in der bildenden Kunst bezeichnete und seine Kunsttheorien anzweifelte. Hier zeigte sich ein Zug Max Liebermanns, der ihn bis zum Schluss prägte. Er konnte bedingungslos treu sein, seiner Familie, seiner Herkunft, der Kunst, und doch behielt er seinen kritischen Blick, seinen unbestechlichen analytischen Verstand und sprach aus, was andere kaum zu denken wagten. Das hatte es ihm manchmal schwer gemacht und ihn schon in seiner Jugend oft in Einsamkeit gestoßen. Dazu kam, dass seine Art der Wahrnehmung von der üblichen abwich und die anderen befremdete oder belustigte. Als er noch ein Kind war, hatte man gelacht, als er auf die Frage des Lehrers nach dem Mond geant-

Max Liebermann: Der zwölfjährige Jesus im Tempel, Öl auf Leinwand, 1879,
Hamburger Kunsthalle

wortet hatte: „Der Mond ist in der Leipziger Straße am größten." Der Anblick der riesigen Scheibe am Himmel hatte ihn berührt und bewegt, die naturwissenschaftlichen Erklärungen erreichten ihn nicht so wie die sinnliche Anschauung. Als er schon zweiunddreißig Jahre alt war und 1879 in München *Der zwölfjährige Jesus im Tempel* ausstellte, begriff er kaum den Skandal, den dieses Bild auslöste. Man warf ihm Blasphemie vor, im Bayerischen Landtag wurde über das Bild vernichtend debattiert, in den Münchener Kneipen rief man dem Maler „Herrgottsschänder" nach, dabei hatte er doch nur gemalt, was ihm selbstverständlich schien, dass Jesus ein jüdisches Kind gewesen war, Sohn einfacher Leute, kein überirdisches Wesen.

Später hat man Liebermanns Aussprüche gesammelt, als Anekdoten veröffentlicht, sie oft auf die witzige Pointe reduziert, dabei war er doch nur gesegnet – oder verflucht – mit der Gabe, die Dinge klar und schnörkellos zu benennen, das Wesen hinter der Erscheinung zu erkennen. Er war kein angenehmer, einnehmender Gesprächspartner, sondern ein sperriger Charakter, einer der oft zugespitzt sagte, was er dachte.

Mit zunehmendem Alter verhielt er sich diplomatischer, aber oft fiel ihm das schwer, er durchschaute sein

Gegenüber schnell und wirkte auf die anderen oft mürrisch. Nun, als die meisten seiner öffentlichen Ämter
hinter ihm lagen, verstärkte sich das. Auch sein alter
Streit mit dem Direktor der Nationalgalerie, Ludwig
Justi, flammte im Jahr 1932 wieder auf, es ging um den
angeblich überteuerten Ankauf eines Werkes von van
Gogh, den Max Liebermann nicht billigte, und er vertrat
seine Position unangemessen harsch.

An Liebermanns fünfundachtzigstem Geburtstag am
20. Juli 1932 kulminierte die öffentliche Aufmerksamkeit noch einmal, die Villa am Wannsee war festlich
geschmückt, ohnehin blühte der Garten in sommerlicher Pracht, Garten und Terrasse waren voller Gäste,
der Oberbürgermeister Berlins kam, der Direktor der
Staatlichen Museen, der Volksbildungsminister. Die Regierungsvertreter überbrachten ihm den ehrenvollen
Auftrag, den Ministerpräsidenten Otto Braun zu porträtieren. Tausende Telegramme, Geschenke und Blumenbuketts gingen ein, die Zeitungen schrieben über
diesen Geburtstag. In den *Dresdner Neuesten Nachrichten*
erschien an diesem Tag die leicht redigierte Fassung
seines Vortrages für den Deutschlandsender unter dem
Titel *Aus der Jugendzeit… Kindheitsgeschichte eines Berliners
aus dem vorigen Jahrhundert. Von Max Liebermann*

Max Liebermann: Otto Braun, Öl auf Leinwand, 1932,
Nationalgalerie – Staatliche Museen zu Berlin SPK

Er schien auf dem Höhepunkt seines Ruhmes. Und doch war er ein Kind des *vorigen Jahrhunderts*.

Der Sozialdemokrat Otto Braun wurde an eben diesem 20. Juni 1932 unter Hausarrest gestellt, die Reichswehr umstellte sein Haus, sein Dienstwagen wurde beschlagnahmt. Der Reichskanzler Franz von Papen war am Morgen von Hindenburg mit Hilfe einer Notverordnung zum Reichskommissar für das Land Preußen ernannt worden. Dieser Tag ging als der *Preußenschlag* in die Geschichte ein. Für einen kurzen historischen Moment kehrte die alte Elite Preußens wieder an die Macht zurück, aber die Nationalsozialisten standen schon bereit, sie ihnen wieder abzunehmen. Goebbels schrieb am Abend des 20. Juli zufrieden in sein Tagebuch: „SPD und Gewerkschaften rühren nicht einen Finger."

Bei der Reichstagswahl vom 31. Juli 1932 konnte die NSDAP 230 Mandate erringen, sie war nun die stärkste Partei.

Max Liebermann ließ es sich nicht nehmen, den gestürzten Otto Braun dennoch, seinem Geburtstags-Auftrag gemäß, zu malen. Das überlebensgroße Porträt wurde wenige Jahre später von den Nationalsozialisten als entartete Kunst eingestuft, was den Minister für Volksaufklärung und Propaganda, Joseph Goebbels, nicht davon abhielt, es 1939, Max Liebermann lebte schon nicht mehr, in Luzern bei einer Auktion meistbietend verkaufen zu lassen.

Natürlich konnte niemand diese Ereignisse voraussehen, aber sie warfen ihre Schatten voraus, und die meinte Max Liebermann, als er schon 1931 schrieb, er habe sich sein Alter anders vorgestellt.

Es gibt ein bekanntes Foto von ihm, das am 13. März 1932 aufgenommen wurde, einen Monat vor der Rundfunksendung. Es zeigt Max Liebermann, wie er das Wahllokal verlässt, in dem er seine Stimme zur Reichspräsidentenwahl abgegeben hatte. Ein alter Herr in vornehmer Kleidung, trotz des Gehstocks, der auf eine gewisse Gebrechlichkeit hindeutet, strahlt er Würde und Souveränität aus. Unter dem Hut blicken wache, skeptische Augen.

Zwei Monate später, Ende Mai, wird Harry Graf Kessler, ein Chronist dieser Zeit, das Ehepaar Max und Martha Liebermann bei einem Spaziergang am Wannsee treffen. Er hatte den Maler lange nicht gesehen und fand ihn alt und gebrochen.

Alt und gebrochen – würdig und souverän, zwischen diesen Polen bewegte sich Liebermanns öffentliches Auftreten zur Zeit der hier vorliegenden Tonaufnahme. Der Rundfunk war ein vergleichsweise modernes Mas-

Reichspräsidentenwahl 1932: Max Liebermann verlässt sein Wahllokal in Berlin,
Foto aus der *Montagspost* vom 14.3.1932

senmedium. Erst 1923 war die erste Unterhaltungs-
sendung aus dem Vox-Haus in der Potsdamer Straße
gesendet worden, 1926 war der Funkturm in Berlin
errichtet worden, und der Vorläufer des Deutschlandsenders, die Deutsche Welle, hatte auch erst 1926 zu
senden begonnen. Max Liebermann, der Zeit seines
Lebens Vorbehalte gegen das Kino hatte – bewegte Bilder mochte er nicht, für ihn lebten die Bilder auch so
– stand dem Rundfunk interessiert gegenüber. Erst die
Papen-Regierung wird den Rundfunk verstaatlichen und
zentralisieren, die Nazis werden ihn als Propagandains-
trument aufbauen, aber als Max Liebermann im April
1932 in die Mikrofone des Deutschlandsenders sprach,
war es eine gute Zeit für den Rundfunk. Die Anfangs-
schwierigkeiten waren behoben, als Detektorapparate
von Röhrengeräten abgelöst wurden und Kopfhörer von
Lautsprechern. Der Rundfunk war seit etwa 1928 dabei,
die besten deutschen Autoren an sich zu binden, Infor-
mationen und künstlerische Sendungen kamen in die
Wohnzimmer nicht nur des Bildungsbürgertums. Das
Radio schien ein Instrument zur kulturellen Bildung zu
sein, ein demokratisches Instrument.

Da Max Liebermann sich Kindern zugetan fühlte,
wird es nicht schwer gewesen sein, ihn zu seinem Bei-
trag für die Kinderstunde zu bewegen. Und er war mit

seinen fast fünfundachtzig Jahren in einem Alter, in dem die Erinnerungen an die Kindheit sich bei fast allen Menschen deutlicher in die Gegenwart drängen als in jüngeren Jahren. Am Ende des Weges vergewissert sich fast jeder noch einmal der Anfänge. „Was man als Kind erlebt, vergisst man so leicht nicht…", sagte Liebermann seinen jungen Zuhörern.

Als „Jungens und Mädels" redete er sie an. Offenbar hatte er, wie immer bei öffentlichen Reden, ein sorgfältig ausgearbeitetes Manuskript, aber er las nicht einfach ab, das tat er nie, er achtete auf den Gestus der Unmittelbarkeit, wandte sich immer wieder an seine, diesmal unsichtbaren, Zuhörer. „Denkt mal", „wisst Ihr",

Max Liebermann: Tochter Käthe, Kreidezeichnung, 1889

Max Liebermann: Mutter mit Kind, Federzeichnung, 1889

warf er ein, „nicht wahr", bekräftigte er manche seiner Sätze. In der gedruckten Fassung vom Juli 1932 sind diese mündlichen Stilmittel natürlich getilgt.

Gleich am Anfang sprach er von seinen Überlegungen, ob die Rundfunksendung überhaupt sinnvoll sei, denn er fürchte, „unsere Jungens denken heute bloß noch ans Fußballspielen und an weiter nichts. Ist das so?" Er würde sich natürlich freuen, wenn das nicht ganz so wäre.

Obwohl Max Liebermann die allgemein übliche onkelhafte Herablassung gegenüber Kindern wesensfremd war, obwohl er immer wieder als geduldig und aufmerksam gegenüber Kindern beschrieben wurde, zeigte sich hier doch eine gewisse, leicht ironisch gebrochene Distanz zu der Lebenswelt der Kinder von 1932. Das Fußballspiel hatte in Deutschland erst nach 1874 vereinzelt Anhänger gefunden. Erst allmählich hatte sich diese neue Form der Körperkultur im Kaiserreich verbreitet, wurde zunächst nur in bürgerlichen Schichten zum Freizeitvergnügen und in den 1920er-Jahren zum Massensport, nachdem durch die Sozialgesetzgebung der Weimarer Republik öffentliche Sportplätze und andere Voraussetzungen geschaffen worden waren. Für Max Liebermann war Fußball wohl ein fremder, moderner Sport, mit dem er keine eigenen Erinnerungen verband. Dabei hatte er in seiner Jugend auch Sport getrieben, nur anders. Er erzählte auch in seinem Vortrag davon, erwähnte die Reit- und Tanzstunden, zu denen seine Eltern ihn geschickt hatten, berichtete, wie er regelmäßig im Tiergarten geritten sei und welche Freude ihm das Schlittschuhlaufen gemacht hatte. Einmal habe er sich allerdings beide Arme gebrochen und den Eltern zunächst nichts davon gesagt, weil er am Abend nicht die Tanzstunde versäumen wollte. Am nächsten Morgen seien die Handgelenke „kolossal geschwollen" gewesen. Nicht erwähnte er, dass er viele Jahre lang die Folgen der schlecht ausgeheilten Armbrüche spürte, noch 1870 war er deshalb vom Kriegsdienst befreit worden. Was er auch nicht erwähnte, vielleicht hatte er es längst vergessen, war, dass der Schlittschuhlauf in seiner Jugend als beinahe unanständig modern galt. Als Max Liebermann jugendlich war, wurde es üblich, dass auch Mädchen auf dem Eis liefen, bis dahin hatten sie sich höchstens dick vermummt im Schlitten schieben lassen.

Vielleicht war sein pädagogisierender Einstieg, er fürchte, die Jungens heute hätten nichts als Fußball im Kopf, die Wiederholung eines Vorwurfs, den er selbst oft in seiner Jugend gehört hatte. Bei ihm ging es ums Reiten. Als er 1866 mit neunzehn Jahren das Abitur bestanden hatte und auf Wunsch seiner Familie studieren sollte, ließ er sich zwar an der Berliner Universität für das Fach Chemie immatrikulieren, damals gehörte Chemie zur Philosophischen Fakultät, aber er besuchte wohl kein einziges Seminar. Stattdessen ritt er täglich stundenlang durch den Tiergarten, der gleich hinterm Haus der Liebermanns begann. Sein Glück war, dass er bei einem dieser Ausritte den Maler Carl Steffeck traf, der schon dem sechzehnjährigen Max Liebermann Zeichenunterricht erteilt hatte, bis der in der vorletzten Klasse keine Zeit mehr für den Unterricht in Steffecks Schüleratelier hatte. Der Weg in die Hollmannstraße am Kammergericht war zu weit und seine Eltern, die den Unterricht bei dem berühmten Maler zwar bezahlten, hielten ihn für entbehrlich.

Als Steffeck seinen ehemaligen Malschüler nun fragte, was der denn so treibe und Max Liebermann wahrheitsgemäß antwortete: „Nichts", forderte Steffeck ihn auf, wieder als Schüler und Gehilfe in sein Atelier zu kommen.

Nun durfte er die Pferdeschwänze, Orden und Hände für ein Auftragsbild malen, das hieß *König Wilhelm I. wird von seinen Kriegern nach der Schlacht von Königgrätz begrüßt.* Aber Steffeck riet seinen Schülern: „Zeichnet, was Ihr seht", hielt Max Liebermann an, seine Skizzenbücher mit Kopien großer Meister, mit Tierstudien, mit Porträts zu füllen. In Steffecks Atelier fühlte Liebermann sich wohl, hier traf er auch einen zwei Jahre älteren jungen Mann aus Braunschweig, Wilhelm Bode, mit dem er sich über Kunst austauschen konnte. Zwischen dem späteren Generaldirektor der Berliner Museen und Max Liebermann begann hier eine das ganze Leben anhaltende, respektvolle, von Sympathie und gegenseitigem Verständnis getragene Beziehung. Endlich war der junge Max Liebermann da, wo er sein wollte: auf seinem Weg zu einem Künstler. Im Januar jedoch wurde er wegen *Studienunfleiß* exmatrikuliert und es wurde offenbar, dass er sich den Plänen seiner Familie widersetzt hatte.

Nie hätte sein Vater Louis Liebermann, der Sohn des Kaufmanns Joseph Liebermann, in seiner Jugend gewagt, sich nicht dem Willen seines Vaters zu beugen. Auch der älteste Sohn Josephs, Benjamin Liebermann, und der jüngere Adolph waren selbstverständlich ins Geschäft Joseph Liebermanns eingetreten, „Liebermann & Comp." war ein seit Jahrzehnten äußerst erfolgreiches Unternehmen, das sich mit der Einfuhr von Baumwolltüchern, mit dem Veredeln und Bearbeiten der Textilien und mit der Ausfuhr der bedruckten Stoffe beschäftigte. Um die nötigen Maschinen selbst herstellen und warten zu können, hatte man Eisenhütten und Maschinen-

Max Liebermann: Louis Liebermann, Zeichnung, 1865

fabriken in Schlesien dazugekauft. Max Liebermanns um drei Jahre älterer Bruder Georg arbeitete auch für das Geschäft der Liebermanns, 1881 wurde er Teilhaber. Max sowie dem jüngsten Bruder Felix war ebenfalls vorbestimmt, diesen Weg zu gehen, obwohl man Max in der Familie nicht für besonders begabt hielt. Die Schule hatte ihn offenbar gelangweilt, oft schien er wie abwesend, seine Angewohnheit, alles zu zeichnen, was ihm vor die Augen kam, wirkte sonderbar. Aber sonderbare Familienmitglieder gab es mehrere bei den Liebermanns.

Da war Carl Theodor Liebermann, der sieben Jahre ältere Cousin von Max Liebermann, Sohn von Benjamin, dem ältesten der zehn Kinder Joseph Liebermanns. Natürlich sollte auch er 1860, nachdem er mit achtzehn Jahren die Schule beendet hatte, ins Geschäft seines Vaters und seiner Onkel eintreten, der Großvater Joseph war ein paar Monate zuvor gestorben. Aber Carl Theodor wollte studieren und nach langen Auseinandersetzungen schlug ihm sein Vater Jura vor.

Aber Carl Theodor wollte Chemie und Philosophie studieren und setzte sich durch, im Oktober durfte er sich an der Berliner Universität einschreiben, musste aber versprechen, danach „Liebermann & Comp." zur Verfügung zu stehen. Vielleicht war es sein Beispiel, das Louis Liebermann 1866 bestimmen ließ, auch seinen Sohn Max studieren zu lassen. Carl Theodor hatte schon 1865 eine Doktorarbeit geschrieben und sein Versprechen eingelöst. 1868 ging er wieder seine eigenen Wege, er machte eine bedeutende Entdeckung, fand heraus, wie man einen natürlichen Farbstoff, den Krappfarbstoff, synthetisch produziert. Eine bahnbrechende Entdeckung, die der sich entwickelnden Farbenindustrie zugutekam, die aber auch mit dem Arbeitsalltag von „Liebermann & Comp." zu tun hatte und dem Geschäft der Liebermanns nützte.

Als Max sich für ein Chemiestudium einschrieb, war sein Cousin schon Doktor der Chemie, die Verwandten hatten begriffen, dass der Weg der Väter nicht unbedingt der der Söhne sein muss, aber die Richtung sollte doch stimmen. Deshalb ließen sie Max Chemie studieren. Dass er aber sogar dieses Angebot ausschlagen würde, schien undenkbar.

Vor Carl Theodor hatte es bei den Liebermanns nur wenige Studenten gegeben, noch nicht lange waren die deutschen Universitäten auch für Juden offen. Der erste Akademiker in der Familie war der 1821 geborene Meyer, später nannte er sich Martin. Er war der zwei Jahre jüngere Bruder von Louis Liebermann, wie

Carl Theodor Liebermann, 1885

er noch in dem westpreußischen Städtchen Märkisch Friedland geboren, aus dem die Familie 1823 nach Berlin gekommen war. (Max Liebermann erzählte in der Rundfunksendung, es sei 1924 gewesen, die Erinnerung an die Familiengeschichte begann bei den Nachfahren von Joseph und Marianne Liebermann zu verschwimmen.) Martin hatte seit 1841 in Berlin Medizin studiert. Der Beruf des Arztes hatte unter Juden Tradition und der Kaufmann Joseph Liebermann wird stolz gewesen sein, seinem dritten Sohn eine akademische Ausbildung ermöglichen zu können, schließlich schien das Geschäft schon durch die älteren Söhne, Benjamin und Leiser, der sich als Erwachsener Louis nannte, gesichert. Martin Liebermann war schon ein promovierter Arzt, er arbeitete im Jüdischen Krankenhaus in der Großen Hamburger Straße, als er mit vierundzwanzig Jahren an Nervenfieber starb. Max Liebermann hat ihn nicht kennen gelernt, aber er war mit diesem Onkel verbunden, weil er dessen Vornamen als zweiten Namen trug, so war es Tradition. Als Max Liebermann 1847 geboren wurde, trauerte die Familie noch um den jungen Arzt. Auch Adolph Liebermann, achtes Kind von Joseph und Marianne, der siebzehn Jahre alt gewesen war, als sein Bruder Martin starb, gab 1858 seinem ersten Sohn,

Arthur, als zweiten Namen den Vornamen Martin. Der nächste Student bei den Liebermanns war Eduard, das sechste Kind von Joseph und Marianne. Auch er studierte Medizin, aber seine Spuren verlieren sich nach der Revolution von 1848, bei der er zweiundzwanzig Jahre alt war. Er soll auf den Barrikaden gekämpft haben und gezwungen gewesen sein, Berlin zu verlassen, später lebte er in Belgien, Max hat ihn vielleicht nicht einmal gekannt. Nach Eduard studierte Carl Theodor und nun sollte auch Max zum Akademiker werden, dem man, obwohl er gerne mit den Händen arbeitete, keinen praktischen und schon gar keinen Geschäftssinn zutraute.

Auch Emil Rathenau, der um neun Jahre ältere Cousin von Max Liebermann, galt in der Familie als sonderbar und anfänglich auch als wenig begabt. Seine Mutter Teibchen, später nannte sie sich Therese, war die älteste Tochter von Joseph Liebermann, das zweite seiner Kinder, die den Kaufmann und Getreidehändler Moritz Rathenau geheiratet hatte. Ihr Sohn Emil war ebenso wenig wie Max am Schulunterricht interessiert, seine Phantasie ging eigene Wege. Aber anders als Max, der nie so ein schlechter Schüler war, wie er auch in der Kindersendung von 1932 behauptete, musste Emil die Schule vorzeitig verlassen. Seine Onkel und sein Großvater ließen ihn in ihrer Maschinenfabrik eine

Lehre absolvieren, ohne jedes Privileg musste er in den Werkstätten lernen. Dabei zeigte sich seine technische Begabung, später studierte er Maschinenbau, und als der Patriarch Joseph Liebermann 1860 starb, hinterließ er seinem Enkel Emil 5000 Mark für sein Ingenieurstudium.

Als Max Liebermann sich 1866 widerwillig immatrikulieren ließ, war Emil schon Unternehmer, gar nicht weit von der Berliner Universität, in der Chausseestraße, stellte er Dampfmaschinen her, die er selbst entworfen hatte. 1866 hatte er reich geheiratet, für den jungen Max Liebermann lebte er in einer anderen Welt, die ihn nicht interessierte. Erst später werden die beiden Cousins ihre Ähnlichkeit spüren, werden, obwohl der eine nichts von Kunst und der andere nichts von Technik und Elektrizität verstand, eine tiefe Verbundenheit fühlen. Beide hatten auf ihren Gebieten ein Gespür für kommende Entwicklungen bewiesen, beide hatten Visionen in Realität umgesetzt, die ihrer Umwelt unverständlich schienen. Beide hatten lange darunter gelitten, ihre Familie, ihre nächsten Angehörigen enttäuschen zu müssen, beide galten als Außenseiter und gingen doch unbeirrbar ihren Weg, bis andere ihnen folgten.

Aber das sah niemand voraus, als der neunzehnjährige Max Liebermann im Januar 1867 aus den Universitätsregistern gestrichen wurde. *Studienunfleiß* – ein Wort, das die Familie als Schande empfunden haben muss. Fleiß und Pflichtbewusstsein, absolute Verlässlichkeit waren für die Liebermanns hohe Werte. Hier trafen sich ihre eigenen tradierten Vorstellungen mit den sprichwörtlichen preußischen Tugenden. Vielleicht war es noch das Erbe des berühmten Gelehrten und Rabbiners Akiba Eger, der in der Welt des traditionellen Judentums bis heute eine wichtige Rolle spielt, das die aus Märkisch Friedland nach Berlin gekommenen Juden prägte.

Joseph Liebermann und seine Brüder waren nicht die einzigen Kaufleute, die nach dem Emanzipationsedikt von 1812, das ihnen gewisse bürgerliche Rechte zugestand, aus Märkisch Friedland nach Berlin gekommen waren. In Berlin gab es etwa ein Dutzend Familien aus dem westpreußischen Städtchen, die innerhalb der jüdischen Gemeinde bald den Ruf hatten, besonders erfolgreiche Geschäftsleute und Unternehmer zu sein, die aber auch besonders gesetzestreu lebten, denen das wichtigste Gebot des Judentums, die Zedakah, heilig war und die sich durch Pflichtbewusstsein und Redlichkeit auszeichneten. Innerhalb der wachsenden jüdischen Gemeinde von Berlin bildeten die Juden aus Märkisch Friedland so etwas wie eine eigene Gruppe, in der man

sich gegenseitig unterstützte. 1856 gründeten mehrere gut situierte Berliner Juden, unter ihnen auch Max Liebermanns Onkel Benjamin und sein Vater Louis, aus Dankbarkeit und Respekt vor ihrer Herkunft den *Hilfsverein für Märkisch Friedland.* Auch Max Liebermanns Großeltern Joseph und Marianne Liebermann, die 1860 und 1864 starben, bedachten in ihren Testamenten den Hilfsverein. Die Angehörigen dieser weit verzweigten Familien aus Märkisch Friedland heirateten oft untereinander, noch bis ins 20. Jahrhundert hinein hielten die alten Verbindungen. Übrigens war Max Liebermanns Ehefrau Martha, geborene Marckwald, die er 1884 hei-

Märkisch Friedland (heute Mirosławiec), Postkarte, um 1900

41

Max Liebermann im Reitdress, Weimar 1872

ratete, die Urenkelin von Joachim Marcus, dem Judenältesten von Märkisch Friedland. Ihre ältere Schwester
Else hatte schon 1878 Max' Bruder Georg geheiratet. Sie
alle waren aufgewachsen mit dem Andenken an Akiba
Eger; auch als sein Name seltener genannt wurde, waren
doch seine Lehren lebendig. Akiba Eger, seit 1815 war
er der Oberrabbiner von Posen, hatte vierundzwanzig
Jahre lang in Märkisch Friedland gewirkt, er hatte Max
Liebermanns Großeltern und deren Geschwister erzogen, seine hohe Ethik war der Maßstab, nach dem die
Juden aus Märkisch Friedland und noch Generationen
ihrer Nachfahren lebten.

Da war ein Wort wie *Studienunfleiß* für einen der
Ihren ganz undenkbar.

Als Louis Liebermann seine Erschütterung darüber
mit seinem Bruder und Kompagnon Benjamin bespre-
chen wollte, soll der nur gesagt haben: „Es gibt größeres
Unglück. Lass ihn Maler werden."

Im Frühjahr 1868 begann Max Liebermann sein
Studium an der Großherzoglichen Kunstakademie in
Weimar.

Aber das kommt nicht mehr vor in seinen Erinnerungen, die er 1932 den Hörern des Deutschlandsenders mitteilte. In der Rundfunksendung beschränkte er
sich auf seine Kindheit und Jugend, auf die Bilder, die

die Erinnerung heraufbeschwor. Er sagte: „Ich gehöre nämlich zu den Augenmenschen, die die Welt auf sich einwirken lassen und von ihr das Gebot ihres Handelns empfangen." Dieser Satz galt für sein ganzes Leben. Er beschrieb die Orte seiner Kindheit und begann mit dem Geburtshaus in der Burgstraße.

Die meisten Häuser, von denen er sprach, gab es nicht mehr, als er sich 1932 ihrer erinnerte. Der beinahe Fünfundachtzigjährige redete über Verlorenes, Vergangenes. Aber nichts ist verloren, nichts vergangen, solange jemand sich erinnert. Max Liebermann sprach über den Wandel, über die Veränderungen, die sein Leben begleiteten. Nichts von der Bitternis, die der Maler in diesem Frühjahr 1932 spürte, floss in seinen kleinen Rundfunkvortrag.

Er wandte sich an Kinder, und immer hatte er Respekt vor den Gefühlen von Kindern gehabt, vor ihrer Phantasie und Unverstelltheit. Seiner eigenen Tochter und ihrem kindlichen Charme war er geradezu ausgeliefert gewesen. Schon ihre Geburt hatte den damals achtunddreißigjährigen Vater ergriffen und sein Leben verändert, in einem Brief an seinen alten Lehrer Steffeck erwähnte er diese Geburt und die Wochen danach in einer Weise, wie sie um 1885 für einen Mann seiner Kreise eher unüblich war. Kleine Kinder waren damals

Max Liebermann mit Enkelin Maria vor seinem Haus am Wannsee,
Foto von Suse Byk, 1922

für viele Väter nur Pflege- und Erziehungsobjekte, die in die Zuständigkeit der Frauen fielen. Liebermann aber ging eine Beziehung zu diesem kleinen Menschen ein, übernahm von Anfang an Verantwortung. Einmal, wenige Jahre später, sagte er einer Dame, die ihm Modell saß, er sei zu Hause meistens mürrisch. „Nur das Kind, wenn das da ist, da bin ich immer freundlich. So'n Kind! Da ist man doch Schuld dran. Das ist doch eigentlich 'ne Gemeinheit, so'n armes Ding in die Welt zu setzen. Es kann doch nichts dafür. Nun muss man ihm doch wenigstens das Leben angenehm machen."

Seine Haltung zu Kindern verbot es ihm, in dieser Rundfunksendung auch nur einen Hauch von den Sorgen und Befürchtungen, von dem Pessimismus und der Resignation preiszugeben, die ihn 1932 bedrängten. Und er schaute ja auch, wenn er an seine Kindheit dachte, auf eine relativ heile Welt zurück.

1847, als Max, das dritte Kind von Pine und Louis Liebermann geboren wurde, war die Familie schon längst in Berlin etabliert. Joseph und seine Brüder, die den Namen Liebermann ebenfalls in ihren Firmenbezeichnungen trugen, waren angesehene Kaufleute, das Vermögen wuchs, auch die Söhne waren dabei, das Ansehen der Liebermanns zu vermehren. Sowohl Benjamin als

Max Liebermann: Die Eltern des Künstlers, Öl auf Leinwand, 1891

auch Louis hatten für einige Jahre in England gelebt, von dort kamen die Maschinen, von dort nahmen wichtige Neuerungen ihren Ausgang, die in die Zukunft führten. Louis Liebermann, der spätere Vater des Malers, war einundzwanzig Jahre alt gewesen und gerade aus England zurückgekommen, als ihm die achtzehnjährige Pine Haller auffiel, die 1840 beim Einzug des neuen Königs Friedrich Wilhelm IV., auf den die Bürger große Hoffnungen setzten, als Ehrenjungfrau im weißen Kleid an einer rosengeschmückten Pforte stand. Erstmals hatten zu einem solchen Anlass auch jüdische Bürgerfamilien ihre schönsten Töchter entsenden dürfen. Für Louis Liebermann war Pine die Schönste. Er war ein junger, hoffnungsvoller Kaufmann, angehender Teilhaber des Familiengeschäfts, in England ausgebildet bei Nathan, einem Großkaufmann, der früher in Märkisch Friedland gelebt hatte. Pine brachte das nicht unbeträchtliche Erbteil ihres 1838 verstorbenen Vaters, des Juweliers Joseph Haller, mit. Ihre Mutter Betty kam aus der frommen Familie der Landsbergers, die schon vor Generationen Schutzjuden in Berlin gewesen waren. In erster Ehe war Betty mit Philipp Joachim Marckwald verheiratet gewesen, einem Sohn des Judenältesten aus Märkisch Friedland. Pines Halbbrüder, Söhne dieses verstorbenen Philipp Joachim Marckwald, führten Unter den Linden ein Bank- und Juweliergeschäft. Die Familien passten gut zusammen. Pine war neunzehn und Louis zweiundzwanzig, als sie heirateten. Ihre erste Wohnung, die erwähnte Max Liebermann nicht, denn das betraf die Zeit vor seiner Geburt, lag in der Poststraße 6. Unter eben dieser Adresse hatte fünfzig Jahre vor ihnen die Witwe des Bankiers Markus Levin mit ihren fünf Kindern gewohnt, von denen eines die spätere Rahel Varnhagen war. Aber Rahel war schon gestorben, ihr Salon bereits Vergangenheit, als der arbeitsame, nüchterne Louis Liebermann sich in der Poststraße niederließ, wo seine beiden ersten Kinder, Anna und Georg, geboren wurden. Louis hatte 1843 den Bürgereid in der Synagoge Heidereuthergasse geleistet, am selben Tag wie der spätere Vater von Martha Marckwald, er war nun Bürger Berlins und Mitglied der Berliner Korporation der Kaufmannschaft. Der Sitz der Firma „Liebermann & Comp.", der auch das Wohnhaus von Joseph und Marianne Liebermann war, lag in der Spandauer Straße 30. 1851 wurde das Nachbarhaus Nr. 29 dazugekauft.

Zu Fuß ging man von dort bis zur Burgstraße 29 nur ein paar Minuten, die Wege waren damals noch kurz in Berlin und fast alle jüdischen Familien hatten sich im Umkreis der Heidereuthergasse niedergelassen. Das hatte einen ganz praktischen Grund: Am Schab-

Spandauer Straße, Ecke Königstraße, 1892; am linken Bildrand die Nr. 30,
seit 1841 im Besitz von Joseph Liebermann, rechts davon die 1851 dazugekaufte
Nr. 29; beide Häuser wurden später an die Firma Nathan Israel verkauft

bat und an Feiertagen fuhren Juden nicht, da musste die Synagoge nah sein. 1855 richteten Marianne und Joseph Liebermann in ihrem Hinterhaus eine Privatsynagoge ein, in der zwar kein Rabbiner amtierte, aber der Gottesdienst sonst so ablief, wie sie es aus Märkisch Friedland gewohnt waren. Die damals neu eröffnete Reformsynagoge in der Johannisstraße, in der Männer und Frauen zusammen saßen, in der es eine Orgel gab und der Gottesdienst auf Deutsch und – des Geschäfts wegen – am Sonntag abgehalten wurde, widerstrebte ihnen. Mehrere ihrer Kinder und viele Enkel jedoch gingen in diesen Reformtempel, für sie war die Modernisierung des Gottesdienstes ein Zeichen, dass sie sich ebenso selbstverständlich als Juden wie als Teil der preußisch-deutschen Gesellschaft sahen.

Die Neue Synagoge in der Oranienburger Straße, die repräsentative Synagoge des modernen Berliner Bürgertums in der zweiten Hälfte des 19. Jahrhunderts, wurde erst 1868 eingeweiht, die Eisenkonstruktionen für die Kuppel kamen aus den Liebermannschen Eisenhütten. Aber schon 1875 gehörte Louis Liebermann zu den Gründern einer Privatsynagoge an der Potsdamer Brücke, inzwischen war er sechsundfünfzig Jahre alt und Teil der Berliner Oberschicht; zu den Betern dieser privaten *Tiergartensynagoge* zu gehören, war auch ein

Statussymbol für den Millionär, der ansonsten einen schlichten, beinahe kargen Lebensstil bevorzugte. 1847, als sein Sohn Max Martin geboren wurde, hatte er noch wie alle seine Familienangehörigen die nahe gelegene Alte Synagoge in der Heidereuthergasse besucht, auch Max Liebermann erinnerte sich noch im Alter an diese Synagoge.

Drei Tage nach Max Liebermanns Geburt hatte der Landtag eine neue Verordnung verabschiedet, die *Verhältnisse der Juden betreffend*. Eine Reihe von Diskriminierungen wurde abgeschafft, der Begriff Judenschaften wurde durch Synagogengemeinden ersetzt. Die Wahl jüdischer Stadtverordneter war nun möglich – 1875 wurde Louis Liebermann selbst Stadtverordneter, kümmerte sich insbesondere um die Armen- und Waisenfürsorge, wie es dem Gesetz der Zedakah entsprach. Die Verordnung von 1847 und die zwei Jahre später in Kraft getretene Verfassung waren Grundlage für diese Entwicklung. Seit 1849 wurden – teils nur auf dem Papier – allen Preußen gleiche staatsbürgerliche Rechte, unabhängig vom religiösen Bekenntnis, zugesichert. Zwar gilt die Zeit nach 1848 für Preußen als Zeit der Reaktion, als Zeit der enttäuschten Hoffnungen, aber verglichen mit seinen Vorfahren wuchs Max Liebermann in eine vergleichs-

Max Liebermann: Louis Liebermann, Kreidezeichnung, 1890

weise liberale Zeit hinein, erst in den 1870er-/1880er-Jahren, als er schon ein erwachsener Mann war, wurde Judenfeindschaft, nun Antisemitismus genannt, wieder gesellschaftsfähig. Im Zusammenhang mit den Debatten um Max Liebermanns Bild *Der zwölfjährige Jesus im Tempel* wurde das offenbar. Für den Hofprediger Adolf Stoecker war dieses Bild der Anlass seiner Judenhetze. In seiner Kindheit aber war Max Liebermann fast nur von Juden umgeben gewesen, von Juden, die selbstbewusst und in materiellem Wohlstand lebten, geachtet und anerkannt. Judenfeindschaft gab es, er wird sie schon als Kind gelegentlich erfahren haben, aber sie galt in diesen Jahren als ungehörig und rückschrittlich. Am Friedrichwerderschen Gymnasium, wo Max Liebermann das Abitur ablegte, lernten auch die Söhne Bismarcks, Wilhelm und Herbert. Als die einmal den Griechischlehrer Salomon wegen seiner jiddisch-deutschen Aussprache verspotteten, wurden sie sofort gemaßregelt. Ihr Verhalten galt als mindestens unfein. Ihr einflussreicher Vater schützte sie nicht vor der Bestrafung, im Gegenteil, eine vornehme Herkunft galt als Verpflichtung zu anständigem Benehmen.

Max Liebermann, der Bürgersohn, erlebte sein Jüdischsein nicht als diskriminierende Ausgrenzung, solche Erfahrungen machte er erst später. Sein Anderssein, das er von Kind an spürte, rührte eher aus seiner besonderen Art der Wahrnehmung, aus seiner merkwürdigen Phantasie und Beobachtungsgabe. Er besaß die Fähigkeit, präzise und zugespitzt zu formulieren, aber die Äußerungen des eigentlich schüchternen Knaben wurden oft als vorlaut eingestuft, seine lakonischen Feststellungen als witzig. Das verunsicherte ihn zusätzlich.

Über diese Unsicherheiten und Bedrängnisse seiner Kindheit und Jugend sprach er nicht zu den jungen Hörern des Deutschlandsenders, überhaupt sprach er in seinem Leben ungern über allzu Persönliches. Seine bis zum Schluss preußische Haltung schützte ihn auch vor unerwünschter Nähe. Auch in dem Vortrag hielt er sich an das, was seine Augen sahen, an die Häuser und ihre Umgebung. Sein Geburtshaus lag an der Herkulesbrücke, die den Festungsgraben vor dem Haus Burgstraße 29 überquerte. Diese Brücke hatte er vor Augen, wenn er aus dem Fenster des Kinderzimmers blickte, und er sah sie, wenn er, wohl an der Hand des Kindermädchens oder der Mutter, das Haus verließ. Der Bildhauer Schadow hatte die überlebensgroßen Sandsteinfiguren entworfen, die den Kampf des Herkules mit dem Löwen und den Kampf des Herkules mit den Zentauren zeigten. Bis zu seinem sechsten Lebensjahr lebte Max in Nachbarschaft zu diesen aus seiner Sicht riesigen Figuren, die die Phantasie eines kleinen Jungen beschäftigen mussten.

Es gibt Zeichnungen von der Herkulesbrücke, Fotografien und ein Gemälde von Eduard Gaertner aus dem Jahr 1846. Darauf ist auch das von Louis Liebermann gerade bezogene spätere Geburtshaus Max Liebermanns zu sehen, ein schönes, dreistöckiges Gebäude mit hohen Fenstern und sonnengeschützten Terrassen. Auf dem Wasser herrschte damals ein reges Treiben, Spreekähne waren unterwegs, auf der anderen Seite der Spree gab es eine Badeanstalt. Das Alte Museum von Schinkel war bereits 1830 eröffnet worden, nun war das Neue Museum, ein Stülerbau, schon von außen fertig, 1855, als die Liebermanns schon weiter gezogen waren, wurde es eröffnet. Max wird als kleiner Junge beobachtet haben, wie die Baustoffe übers Wasser angefahren wurden, er wird den Lärm von der Baustelle gehört haben. Auch der große Speicher an der Herkulesbrücke gehörte zu den Gebäuden, die er als Kind vor Augen hatte und das Itzigsche Palais, eines der schönsten und größten Häuser der Stadt, war gleich nebenan. Vor seinem Geburtshaus lagen Granitplatten, man konnte darauf Hopse spielen, aber wahrscheinlich galt das als unschicklich für den

Eduard Gaertner: Die Simsonbrücke (Herkulesbrücke) mit angrenzendem Aktien-
speicher, Öl auf Leinwand, 1846, Nationalgalerie – Staatliche Museen zu Berlin SPK

kleinen Bürgersohn. „Heutzutage sieht das ganz anders aus. Ganz anders", erzählt er den Kindern von 1932. Der Zwirngraben, Teil des Festungsgrabens, an dem sein Geburtshaus lag, wurde 1890 für den Bau der S-Bahn zugeschüttet. Auch sein Geburtshaus wurde damals abgerissen, an Stelle des Itzigschen Palais stand längst die Börse. Im Schloss Monbijou lebte 1932 kein Prinz mehr, sondern das Hohenzollernmuseum war dort untergebracht. Der Park, in dem er als Kind oft gewesen war, war kein Park mehr. Sogar der Dom war ein anderer. Der, den Max Liebermann als Kind gekannt hatte, besaß nur einen Turm und war viel kleiner als der protzige Bau von 1905. Und an Stelle des Geschäftshauses von „Liebermann & Comp." in der Spandauer Straße war das große Warenhaus Israel errichtet worden, direkt gegenüber dem Roten Rathaus, das Max auch hatte entstehen sehen. Er war fünfzehn Jahre alt gewesen, als der Grundstein gelegt wurde, einige Jahre lang sah er die Baustelle, wenn er seine Großmutter besuchte.

Sein Leben lang war Berlin eine Baustelle gewesen. Er hatte immerzu Neues entstehen und anderes vergehen sehen. Ohne Sentimentalität sprach er darüber, er stellte es nüchtern fest, nur manchmal, das sagte er den Kindern, „traue ich meinen Augen kaum".

Einen breiten Raum in Liebermanns Kindheitserinnerung nahm natürlich der Großvater Joseph Liebermann ein. Max Liebermann erzählte von dessen Sommerhaus „in Charlottenburg, da wo heute das Knie ist". Es war für die wohlhabenden Bürger Berlins seit etwa 1800 üblich geworden, sich einen Landsitz zuzulegen. Niederschönhausen, Schöneberg, Charlottenburg, selbst das Köpenicker Feld waren damals Orte außerhalb der Stadt. Als vornehmste Gegend galt natürlich Charlottenburg, zum Schloss führte die Berliner Straße, damals die einzige bebaute Straße in dieser Gegend. Erst nach 1860 werden die heute bekannten Straßen entstehen. Die Berliner Straße verlief entlang der heutigen Otto-Suhr-Allee. Der Knick in der wie mit dem Lineal gezogenen Straße, noch heute wird er von den Berlinern Knie genannt, ist heute der Ernst-Reuter-Platz.

In dieser ländlichen Gegend legten sich Joseph und Marianne Liebermann nach 1840 ein Landhaus zu, es muss geräumig genug gewesen sein, die vielen Verwandten aufzunehmen, denn auch andere Enkel Joseph Liebermanns erinnerten sich in Briefen, Festschriften und Lebenserinnerungen an die Ferien bei den Großeltern, an den großen Garten, der bis an die Spree hinunterging.

Auch Max Liebermanns Erinnerungen an dieses Landhaus waren plastisch und sinnlich. Für ihn, den „Augenmenschen" schien der parkähnliche Garten am Fluss voller Geheimnisse und versprach Abenteuer. Zahme Rehe und Hühner waren für den Stadtjungen interessant und noch 1932 erinnerte er sich daran, wie der Großvater Joseph, der „jeden Baum und jeden Strauch und jede Blume kannte", die „Spargel mit eigener Hand stach". Oft seien er und die Brüder vom Großvater in den Wald geschickt worden, Maikäfer für die Hühner zu sammeln.

Später habe er sein Pferd auf einer weiten Wiese gegenüber vom Landhaus „getummelt".

„Heute sieht es da ganz anders aus", musste Max Liebermann 1932 auch über diesen Ort seiner Kindheit sagen. Er erwähnte die Bismarckstraße, die Hardenbergstraße und die Technische Hochschule, die die Kinder von 1932 vielleicht kannten.

Ob es ihm bewusst war, dass sein Großvater, als er in diesem Landhaus Hühner züchtete und Spargel stach, sich selbst an Verlorenes, Vergangenes erinnerte? Märkisch Friedland hatte an großen Handelsstraßen gelegen, aber es war doch umgeben von ländlicher Natur und hinter wohl jedem Haus lag ein Garten. Für die Bewohner des Städtchens waren Geflügelzucht und Ge-

Joseph Liebermann in seinem Kontor, Gemälde eines unbekannten Künstlers, 1842

müseanbau selbstverständlich gewesen. Vielleicht fühlte der Großvater Joseph sich zurückversetzt in die Jahre seiner Kindheit, wenn er an den Sommerabenden durch seine Gemüsebeete an den Fluss ging, der hier nicht der Prielangfließ, sondern die Spree war. Er kam noch aus einer anderen Zeit, er war noch mit dem Tragekorb auf dem Rücken herumgereist, ein verachteter Jude, aber nun war er angekommen im neuen Jahrhundert, dem Jahrhundert der Maschinen, deren Bedeutung die Liebermanns früh erkannt hatten.

Joseph Liebermann war ganz und gar ein Mann dieses neuen Jahrhunderts, ein Kommerzienrat und Heereslieferant, bedeutender Unternehmer und erfolgreicher Bürger der preußischen Hauptstadt, der 1839 sogar dem König Friedrich Wilhelm III. vorgestellt worden war. Aber er hatte seine Herkunft nicht vergessen, nicht den Akiba Eger und nicht den Prielangfließ. Anders als die strenge und fromme Großmutter Marianne, die Max Liebermann im Rundfunkvortrag gar nicht erwähnte, die aber von anderen Nachkommen als düster und allzu arbeitsam geschildert wurde, muss Joseph Liebermann ein freundlicher, heiterer Mensch gewesen sein. 1783 war er geboren worden, sechsundsiebzig Jahre alt wurde er. Bis zum Schluss blieb er das Oberhaupt von „Liebermann & Comp.", aber seine Söhne führten weiter, was er aufgebaut hatte, und er konnte sich allmählich zurückziehen. Nicht nur Max Liebermann erinnerte sich so liebevoll an den Großvater, auch Benjamins Sohn Carl Theodor sah ihn noch ein halbes Jahrhundert später vor sich, wie er vor dem Hause in der Spandauer Straße stand, im blauen gestickten Samtkäppchen, „seine Zigarre rauchend und sich an der Betrachtung des Straßenlebens erfreuend."

Max Liebermann erinnerte sich in seinem Rundfunkvortrag besonders des Sommers im Jahre 1853, als er sechs Jahre alt wurde. Diesen Sommer verbrachte seine Familie offenbar bei den Großeltern im Charlottenburger Sommerhaus, weil die Wohnung in der Burgstraße aufgegeben wurde und die neue Wohnung noch nicht fertig war.

Er muss wohl ein ziemlich wilder Junge gewesen sein, mutmaßte der alte Max Liebermann, denn man habe ihn in diesem Sommer in die Cauersche Schule gegeben.

Jacob Ludwig Cauer, der diese Erziehungsanstalt begründet hatte, war ein Schüler Fichtes und Pestalozzis. Seine Anstalt galt als sehr modern, die freie Persönlichkeitsentwicklung der Schüler war sein erklärtes Ziel. 1826 war er von der Münzstraße in der Spandauer Vorstadt nach Charlottenburg in die Berliner Straße 1

gezogen. Aber Cauer war schon 1834 gestorben und die
Schule wurde als staatliche Einrichtung weitergeführt,
finanziert durch den König.

Es wird schon so gewesen sein, dass Pine, die nun
vorübergehend im Sommerhaus der Schwiegereltern
wohnte und vier Kinder hatte, die zehn, neun, sechs und
zwei Jahre alt waren, sich entlastet fühlte, wenn Max
für ein paar Stunden am Tag in die Kleinkinderschule
der berühmten Cauerschen Erziehungsanstalt ging, als
Strafe wird sie es nicht empfunden haben, eher als ein
Bildungsangebot, und Bildung wurde sehr geschätzt
bei den Liebermanns und auch in Pines Herkunftsfa-
milie, bei den Hallers. Aber ihr kleiner Sohn empfand
diese Stunden als Strafe, ein Leben lang erinnerte er
sich daran, dass er an seinem sechsten Geburtstag nach-
sitzen musste. Noch 1932 erzählte er den Hörern des
Deutschlandsenders davon. Vielleicht wurde hier schon
der Grundstein für seine Abneigung gegen die Schule
gelegt, über die er sich in seinem Leben oft genug äu-
ßerte. Noch als reifer Mann sprach er manchmal über
seinen wiederkehrenden Albtraum, er stünde vor der
Abiturprüfung. Auch in seinem Rundfunkvortrag erzählte er über seine schlechten Schulnoten, über seine
Angst, am Zeugnistag dem Vater die Zensuren vorzule-
gen. Aber sein erster großer Biograph, Julius Elias, der

selbst Schüler des Friedrichwerderschen Gymnasiums gewesen war, schrieb später, Max Liebermann habe zwar in Mathematik nur das Prädikat *genügend* erhalten, sei aber sonst gut in der Schule gewesen, in manchen Fächern sehr gut, sein Abitur sei das viertbeste des Jahrgangs gewesen. Dass Max Liebermann sich immer anders erinnerte, dass er sich als Schulversager empfand, hatte nichts mit der Koketterie eines anerkannten Mannes zu tun, der auf seine schwierigen Anfänge hinwies, um seinen Erfolg noch größer erscheinen zu lassen, sondern war Folge des Leistungsdrucks, dem er sich als Mitglied der Familie Liebermann ausgesetzt fühlte. Ein vierter Platz beim Abitur war eben für die Liebermanns ein schlechter Platz, man hatte der Erste zu sein. „Meine Eltern und auch meine Lehrer sagten dann, ich sei faul. Aber das stimmte doch nicht ganz. Ich war für die Mathematik bloß unbegabt. Deshalb konnte ich in diesen Stunden nicht richtig aufpassen, und es machte mir viel mehr Spaß, statt aufzupassen, die Lehrer in mein Rechenheft zu zeichnen", erzählte er den Hörern des Deutschlandsenders. Schon 1910, als er bereits zu den größten Malern seiner Zeit gezählt wurde, schrieb er in der *Allgemeinen Zeitung des Judentums*: „Die realen Wissenschaften waren und sind mir ein Buch mit sieben Siegeln geblieben und ich konnte mich nur mit

der größten Mühe an die Vorstellung gewöhnen, dass die Erde sich drehe."

Dieser auf manchen Gebieten hochbegabte Junge hatte einfach eine andere Art, die Welt aufzunehmen und zu begreifen als die meisten. Aber damals wurde von ihm vor allem Anpassung erwartet, möglichst Höchstleistung, und zwar innerhalb der vorgegebenen Muster.

Erst 1812 war das Edikt über die bürgerlichen Freiheiten der Juden erlassen worden, nun bemühten sich die Liebermanns wie so viele jüdische Bürger Preußens mit Leistungsbereitschaft und untadeligem Verhalten, ihren Aufstieg zu rechtfertigen. Vom Durchschnitt abweichende, besondere Eigenschaften und Verhaltensweisen wurde unter Juden noch kritischer gesehen als bei anderen Deutschen. Dies war nicht nur Max Lieber-

Aus Max Liebermanns Schulheften: Lehrer seines Gymnasiums, 1863/64

manns Problem, auch seine Cousins, der AEG-Gründer Emil Rathenau, der Chemiker Carl Theodor Liebermann und sein jüngerer Bruder, der Historiker Felix Liebermann, haben wie er viele Jahre gebraucht, um das Selbstvertrauen zu gewinnen, das ihrer Leistung und ihrer jeweils außerordentlichen Begabung entsprach, obwohl sie dennoch ziemlich eigensinnig ihrem inneren Kompass folgten.

Die Episode in der Cauerschen Erziehungsanstalt wird Max Liebermann früh klar gemacht haben, dass sein Platz nicht in Reih und Glied war, obwohl er sich immer nach der Zugehörigkeit zu einer Gemeinschaft sehnte und in seinen ersten öffentlich ausgestellten Bildern auch das Ideal der gemeinsamen Arbeit, der friedlichen Verbundenheit anklingt. Bemerkenswert an der Episode mit der Cauerschen Anstalt ist, dass seine Eltern, die so ganz selbstverständlich und unbeirrt in ihrer jüdischen Tradition lebten, sich nicht an der christlichen Ausrichtung der Schule störten. Sie waren es gewöhnt, als Juden in einer christlichen Mehrheitsgesellschaft zu leben, und einige Jahre lang schien es unter aufgeklärten Berliner Bürgern, als sei die Religion tatsächlich Privatsache.

Die Zahl der Taufen nahm im Allgemeinen zu, aber bei den Liebermanns gab es erst im 20. Jahrhundert vereinzelte Übertritte zum Christentum. Pines Onkel, der Bruder ihres Vaters Joseph Haller, war zum Christentum übergetreten und dessen Sohn war in Hamburg der berühmte Bürgermeister Haller. Man war schon stolz auf diese erfolgreiche Verwandtschaft, aber erfolgreich konnte man auch als Jude sein, und der Respekt vor der eigenen Herkunft und vor der Tradition war bei den Liebermanns groß. „Ich bin als Jude geboren und werde als Jude sterben", erklärte Max Liebermann noch als alter Mann. Aber er sagte auch: „Ich habe es mein leben lang so gehalten, dass ich immer zuerst gefragt habe: Was ist das für ein Mensch? Niemals danach, ob er Jude, Christ oder Heide war."

Seine Tochter ließ sich wegen ihrer Eheschließung mit dem katholischen Diplomaten Kurt Riezler 1915

Max Liebermann: Pine Liebermann, Zeichnung, 1865

taufen und auch die Enkeltochter Maria wurde 1917 in der Berliner Hedwig-Kathedrale getauft.

Max Liebermann und seine Frau Martha, was sollten sie auch anderes tun, nahmen es hin, ohne ihr Kind und Enkelkind deshalb weniger zu lieben. Max Liebermann, auch wenn er als Erwachsener, soviel man weiß, der Synagoge als Institution fernblieb, hat oft geäußert, er habe sich immer als Deutscher gefühlt, „aber es war meine Zugehörigkeit zum Judentum nicht minder stark in mir lebendig". Schon seinen Eltern war es selbstverständlich, jüdisch und preußisch gleichermaßen zu sein.

Übrigens mag es noch einen Grund gegeben haben, den kleinen Max in die Cauersche Schule zu geben. In diesem Sommer 1853 hatten Louis und Pine Liebermann viel mit Georg Heinrich Friedrich Hitzig zu tun, dem damals beliebtesten Architekten des Berliner Bürgertums, der ihre neue Wohnung in der Behrenstraße 48 umbaute. Ein paar Jahre später wird er an die Stelle des prachtvollen Itzigschen Palais seines Urgroßvaters, des Bankiers und „Münzjuden" Daniel Itzig, das längst ein Bankhaus war, die noch prachtvollere Börse in die Burgstraße setzen. Eine andere – ebenfalls getaufte – Nachfahrin Daniel Itzigs war mit dem Schulgründer Cauer verheiratet, sie lebte noch, als Max dort angemel-

Max Liebermann mit Ehefrau Martha, Tochter Käthe und Enkelin Maria in ihrem
Haus am Wannsee, 1924

det wurde, vielleicht gab es durch den Architekten eine Verbindung zu seinen Eltern.

Die Zeit in der Behrenstraße war für Max Liebermann eine Übergangzeit, schon vier Jahre später kaufte sein Vater das Haus am Pariser Platz.

„Ein sehr stattliches Haus" sei das in der Behrenstraße gewesen, erinnert er sich in der Rundfunksendung. „Als in der Behrenstraße die großen Bankpaläste gebaut wurden, in den Achtziger- und Neunzigerjahren des vorigen Jahrhunderts, musste es der Spitzhacke weichen."

Nicht nur das Haus, die ganze Straße war stattlich, eine der repräsentativsten der Friedrichstadt, es gab sogar ein Trottoir wie in Frankreich, Bürgersteig genannt. Alles hier war großzügig, auf der Höhe der Zeit und doch mit der Geschichte Berlins verbunden. In der Behrenstraße hatte Chodowiecki gewohnt, hier wurde 1768 Lessings *Minna von Barnhelm* uraufgeführt, Heine hatte hier gewohnt und Engels während seiner Berliner Zeit eine Lesestube besucht. In der Nachbarschaft wohnte noch immer Marianne Saaling, geboren als Mirjam, jüngste Tochter des Hofjuweliers Jacob Salomon, die einst für ihre Schönheit berühmt war. Max Liebermann wird die alte Dame gesehen haben, sie wird ihm eine der wenig *interessanten alten Tanten* gewesen sein, wie es sie auch in seiner Familie gab. Sie verkörperte

Behrenstraße 48, Foto von F. Albert Schwartz, 1889

die Vergangenheit, die Zeit des Wiener Kongresses, die Zeit der Salons. Eine kurze Zeitlang war sie mit dem Witwer Karl August Varnhagen verlobt gewesen. Ob Max Liebermann gewusst hat, dass Rahel Varnhagen auch einmal die Adresse Behrenstraße 48 hatte? Von 1810 bis 1813, bis sie aus Berlin floh, hatte sie hier gewohnt. Vielleicht hat nicht einmal Louis Liebermann diesen seltsamen Zufall gekannt.

Wichtiger für die Liebermanns mit ihrem Familiensinn war, dass mehrere Angehörige ganz in der Nähe wohnten. Zu den Geschäftsräumen in der Spandauer Straße war es auch von hier nur ein kurzer Fußweg. Und in der Behrenstraße 32 wohnte seit 1850 in einem prachtvollen Haus der Kaufmann und Fabrikant Ferdinand Reichenheim, der Louis Liebermanns jüngere Schwester Fanny geheiratet hatte. In der Nummer 33 wohnte Benjamin Liebermann, Louis' ältester Bruder, mit seiner Familie. 1868 wird auch Leopold Liebermann, ein jüngerer Bruder der beiden, erfolgreicher Kaufmann wie sie alle und späterer Urgroßvater des Komponisten Rolf Liebermann, in die Behrenstraße ziehen, doch da waren die Reichenheims und Benjamin und Louis schon weiter gezogen.

Benjamin hatte schon 1850 ein Grundstück Unter den Linden 6 erworben, das bis zur Behrenstraße reichte. Unter den Linden, das war die *Via Triumphalis*, Max Liebermann nannte sie in der Rundfunksendung so. Seit 1857 wohnte sein Onkel Benjamin mit seiner Familie in dem von Hitzig umgestalteten Palast, zu dem auch ein großer Garten, Pferdeställe und Remisen gehörten. Auch Ferdinand Reichenheim bewohnte mit Fanny, geborene Liebermann und den Kindern einen Flügel dieses Gebäudes, das die Berliner halb ehrfurchtsvoll, halb ironisch die *Jüdische Gesandtschaft* nannten, in Anspielung auf die daneben liegende Russische Gesandtschaft, die ähnlich prachtvoll war.

Die Söhne Joseph Liebermanns waren aufgestiegen in die vornehmsten Viertel der Stadt. In diesem Jahr 1857 kaufte auch Louis Liebermann das siebzehn Jahre zuvor von Stüler umgebaute Haus neben dem Brandenburger Tor, das für Max Liebermann seit seinem zwölften Lebensjahr zu seinem wahren Vaterhaus wurde, das er nach Louis' Tod 1894 erbte, in dem er 1932 die Redakteure des Deutschlandsenders empfing und in dem er über seine Kindheit redete.

Die Liebermanns bewohnten übrigens nur eine Etage in dem großen Haus, und obwohl es genügend Räume

Das Brandenburger Tor von der Tiergartenseite her gesehen, angrenzend links:
Haus Liebermann (Pariser Platz Nr. 7), 1934

gab, teilten die drei Söhne sich ein Zimmer. Auch der Frack, in dem die Abiturprüfung abgelegt wurde, ging von Georg über Max zu Felix. Sparsamkeit galt als bürgerliche Tugend und verwöhnt wurden die Kinder bei den Liebermanns trotz des Reichtums nicht.

Bevor er auf das Haus am Pariser Platz zu sprechen kam, erzählte Max Liebermann in der Rundfunksendung noch von dem Hof in der Behrenstraße, von dem großen Nussbaum dort, dessen Blätter er oft als Zigarette rauchte, bis ihm schlecht wurde und die besorgten Eltern den Hausarzt holten. Schließlich habe er sich offenbart und da „gab es mächtig was rauf, und ich war von meiner Freude am Rauchen für immer kuriert. Kinder, macht mir das nicht nach! Dabei kommt nichts raus!" Dies war wohl mehr eine pädagogisch gemeinte Ermahnung als die Wahrheit, denn der erwachsene Max Liebermann wurde von vielen Zeitzeugen als Zigarrenraucher beschrieben.

Von seiner Schulzeit an der Dorotheenstädtischen Realschule habe er nur die Ferien in Erinnerung, sagte er und beschrieb die Ferienaufenthalte bei Sprottau, wo die Liebermanns ihre Eisengießereien und ein Gut besaßen. Die Sommeraufenthalte dort ersetzten wohl nach dem Tod des Großvaters die Ferien in Charlottenburg, das inzwischen auch kein ländlich abgelegener Ort mehr war.

Auch seine Cousins Emil Rathenau und Carl Theodor Liebermann haben diese Ferien beschrieben. Carl Theodor erinnerte sich an Picknicks und Ausflüge, an denen sogar sein sonst immer beschäftigter und strenger Vater Benjamin teilnahm. Mit den Cousinen und Cousins hätten sie „wie kleine Landedelleute frei und ungebunden in der Natur" gelebt. Emil Rathenau, der als Lehrling alle Abteilungen der Wilhelmshütte durchlaufen musste, hatte sich in seinen Arbeitskleidern nicht als kleiner Landedelmann geführt, er berichtete, er sei seinen weiß gekleideten Cousinen immer ausgewichen, weil er sich ihnen nicht zugehörig fühlte. Und Max Liebermann, der an anderer Stelle auch von den sommerlichen Reitausflügen berichtete, begeisterte sich in seinem Rundfunkvortrag bei der Erinnerung daran, wie er als Zehn-, Elfjähriger durch die Werkstätten der Maschinenfabriken gestreift war, wie das, was er sah, auf seine „Handfertigkeit" wirkte, wie er mit großem Spaß das Formen lernte und sein Vater ihm schließlich im neuen Haus am Pariser Platz eine kleine Tischlerwerkstatt einrichtete.

Da Max Liebermanns Kindheitserinnerungen offenbar unter dem unausgesprochenen Motto *Das Werden eines Malers* standen, ist es nicht verwunderlich, dass er

seinen Feriensommern, denen im Garten des Großvaters und denen bei der schlesischen Wilhelmshütte
so einen breiten Raum gab. Hier erhielt er, der „Au-
genmensch", Eindrücke, die seine eigene gestalterische
Phantasie anregten, hier, frei vom Leistungsdruck, lernte
er spielerisch, seine Hände zu gebrauchen. Den Stolz
auf gute Handwerksarbeit, auf qualitätsvolle und solide
Ausführung, die dem Maler später so wichtig wurden,
hat er wohl zuerst in den Werkstätten der Wilhelmshütte kennen gelernt.

Gezeichnet hatte er ja schon immer, aber aufgefal-
len war den Erwachsenen sein Talent erst, als er seine
Mutter zu Antonie Volkmar, einer damals sehr belieb-
ten Genremalerin in die Französische Straße begleitete,
die Pine Liebermann porträtieren sollte. Im Atelier bat

Sprottau (heute Szprotawa), um 1910

79

der sich langweilende Zwölfjährige um Stift und Papier und begann ebenfalls ein Porträt seiner Mutter. Antonie Volkmar betrachtete es erstaunt und überzeugte die Eltern, Max Unterricht geben zu lassen. So kam Max Liebermann zu Eduard Holbein, der die Vorbereitungsklasse der Akademie leitete, und später das erste Mal zu Steffeck, dessen Bilder Max Liebermann schon in der Gemäldesammlung seines Onkels Ferdinand Reichenheim gesehen hatte. Dieser kunstsinnige Onkel war es auch, der ihm den ersten Malkasten schenkte. Auch sein Onkel Adolph, bald darauf einer der bedeutendsten Kunstsammler Berlins, ermutigte den jungen Max Liebermann. Louis aber, obwohl er die Lehrer bezahlte, die natürlich die besten sein mussten, sah darin keine Zukunft. Als eine Illustrierte zwei kleine Zeichnungen seines halbwüchsigen Sohnes drucken wollte, verbot er die Nennung des Namens Liebermann.

Max Liebermann berichtete seinen jungen Hörern sehr allgemein von diesen Auseinandersetzungen, in der Erinnerung klang das alles versöhnlicher, als es gewesen sein mag. Nach der Obersekunda habe er seinem Vater eröffnet, er wolle jetzt Maler werden. „Dagegen hatte er nichts einzuwenden, aber erst sollte ich das Abiturientenexamen bestanden haben. Das bedeutete, dass ich noch drei Jahre die Schulbank drücken musste."

Er hat es ja getan, er hat sein Abitur bestanden. Pine und Louis waren darüber so erleichtert, dass sie ihrem Sohn eine gemeinsame Ferienreise in die Schweiz schenkten, wie es unter wohlhabenden Bürgern seit einiger Zeit üblich war. Diese Landschaft hat ihm nicht gefallen, er suchte die Weite und fand, dass die Berge den Blick verstellen. Erst einige Jahre später fand er in Holland die Landschaft, die ihn als Maler anregte und beglückte. Aber an dieser Sommerreise mit den Eltern werden nicht die Berge das Problematische gewesen sein, sondern die Auseinandersetzungen, die es um seine Zukunft gab. Max Liebermann war dazu erzogen worden, sich den Entscheidungen seines Vaters zu beugen, der für ihn das Chemiestudium beschlossen hatte. Aber er war auch dazu erzogen worden worden, dass ein Versprechen Gültigkeit hat. So mag er sich durchaus im Recht gefühlt haben, als er sich weigerte, trotz der Immatrikulation das Studium aufzunehmen. Und Louis war schließlich klug genug, den Konflikt zu lösen.

Einige Jahre später stand er vor der Wiederholung dieser Situation. Felix, der vier Jahre jüngere Bruder Max Liebermanns, wollte die Familientradition ebenfalls nicht fortsetzen. Dennoch musste er Kaufmann werden, eine Banklehre in Berlin absolvieren und in einem Garnexportgeschäft in Manchester lernen. Adolph

Liebermann war inzwischen aus dem Familienunternehmen ausgestiegen, Benjamin, schon über sechzig, hatte nur den einen Sohn, Carl Theodor, der längst habilitierter Privatdozent war – eine Professur wurde ihm als Juden noch verweigert. Georg Liebermann, Louis' ältester Sohn, war zwar im Geschäft, aber er allein würde „Liebermann & Comp." nicht fortführen können. Louis musste darauf bestehen, dass Felix seine Interessen zurückstellte, wenn Max schon ausgeschert war. Tatsächlich arbeitete Felix eine Zeitlang in Rom als Baumwollhändler für „Liebermann & Comp.", bis er dann doch in Göttingen studieren durfte und innerhalb von zwei Jahren promovierte.

Die Familienfirma aber wurde Mitte der 1870er-Jahre in eine Aktiengesellschaft umgewandelt. Felix Liebermann wurde ein bedeutender Philologe, Rechtsgelehrter und Historiker. Max Liebermann war ihm Zeit seines Lebens eng verbunden.

Als Max Liebermann 1932 vor den Hörern des Deutschlandsenders über seine Kindheit sprach, war Felix längst nicht mehr am Leben. Von den Begleitern seiner Kindheit und Jugend lebte nur noch Anna, seine Schwester, die ein paar Monate später starb, ausgerechnet im Februar 1933, als Max Liebermann „gar nicht so viel fressen" konnte „wie er kotzen musste", wie er drastisch

Max Liebermann: Felix Liebermann, Öl auf Leinwand, 1865

erklärte. Aber auch 1932, als er im Deutschlandsender so scheinbar harmlos über seine eigene Vergangenheit sprach, wusste er, dass er nicht nur über verlorene Orte und verstorbene Menschen sprach, sondern über ein Zeitalter, das zu Ende war.

Kunst und Politik gehörten für ihn nicht zusammen, aber niemals war Max Liebermann ein unpolitischer Mensch. Mehrmals hat er von sich gesagt: „Da ich 1847 geboren bin, ist es nicht zu verwundern, dass meine politischen und sozialen Anschauungen die eines Achtundvierzigers waren und geblieben sind." Als er 1925, da war er achtundsiebzig Jahre alt, gefragt wurde, ob er je eine Faszination durch eine politische Persönlichkeit erlebt habe, etwa durch Bismarck oder den Kaiser, antwortete Liebermann: „Nein! Dauernd nur bei einem: Lassalle. Das war unerhört. Als er seine berühmten Reden gehalten hat, war ich noch auf dem Gymnasium und ich erinnere mich deutlich, mit welcher Begeisterung wir Pennäler sie gelesen haben. Ich habe Lassalle auch einmal persönlich gesehen in Berlin; er war strahlend schön wie ein junger Gott."

Ein Maler wie Max Liebermann fand in der äußeren Erscheinung eines Menschen den Ausdruck seines Wesens. Wie er selbst aussah in den Monaten seiner

Lebensbilanz, wissen wir von Fotos wie dem anfangs erwähnten und wir wissen es aus seinem letzten Selbstporträt in Öl, das er Anfang 1933 dem neu gegründeten Jüdischen Museum schenkte. Genau siebzig Jahre zuvor hatte Nathanael Sichel ihn gezeichnet, etwa zu der Zeit, als seine lebenslang anhaltende Begeisterung für Lassalle begann. Wenn man die Porträts vergleicht, erkennt man noch immer die Ähnlichkeit der Züge des Fünfundachtzigjährigen mit dem Gesicht des sechzehnjährigen Max Liebermann. Der alte Liebermann hatte schon lange sein dichtes, lockiges Haupthaar verloren; den sensiblen Mund, der am Ende seines Lebens wie zusammengepresst wirkte, verdeckte der Sechzehnjährige noch nicht mit einem Schnurrbart, doch das Selbstporträt des Fünfundachtzigjährigen zeigt noch immer die auffallenden Augenbrauen, die der Griechischlehrer am Friedrichwerderschen Gymnasium einmal scherzhaft als Erbe assyrischer Könige bezeichnet hatte, noch immer ist der Schnitt seiner dunklen Augen derselbe. Max Liebermann blickte als Sechzehnjähriger und als Fünfundachtzigjähriger aufmerksam, prüfend, ungeheuer wach. Im Blick des Jungen aber liegt trotz seiner Offenheit, etwas wie ein Fragen, das der Alte schon hinter sich hat. Sein Blick geht beinahe nach innen. Der Ausdruck des alten Max Liebermann ist konzentriert, gesammelt,

Nathaniel Sichel: Max Liebermann, Zeichnung, 1863

Max Liebermann: Selbstbildnis, Öl auf Leinwand, 1933, Privatbesitz

nicht verzweifelt, aber illusionslos. Eines haben beide Gesichter gemeinsam. Das Wort dafür ist: Stolz.

Auch in der Stimme Max Liebermanns, obwohl sie durch die Tontechnik und die seitdem vergangenen Jahrzehnte verfremdet sein mag, liegt dieser Stolz. So wie Max Liebermanns äußere Haltung nicht steif, aber immer gerade, gespannt war, selbst im Alter, als er den Stock brauchte, so ist auch seine Stimme beherrscht und klar, die Stimme eines stolzen Menschen mit aufrechtem Gang.

Er wird der Rundfunksendung auch zugestimmt haben, weil er wusste, dass dadurch seine Stimme bleiben würde, wenn er selbst schon nichts mehr sagen könnte. Eine Stimme war es, mit der die jüdische Geschichte begann, eine Stimme, die der Patriarch Abraham hörte, die ihm den Aufbruch befahl. Diese Stimme war es auch, die Moses in der Wüste hörte, die ihn in die Zukunft führte.

Eine Stimme als Symbol des Schöpfers, des Anfangs und des Wegs. Der alte Max Liebermann wusste, dass seine Stimme ihn überleben würde. Wie seine Bilder.

Aber das sind Interpretationen, die der Maler ironisch abgewehrt hätte. Jedes Pathos war ihm fremd. Vielleicht hat er darum das Berlinische so geliebt, in diesem Tonfall kann man nicht feierlich werden.

Im Wilhelminischen Berlin mit seinem ausgeprägten Standesbewusstsein und auch noch danach haben sich Zeitgenossen oft über Max Liebermanns Berlinern gewundert. Dieser volkstümliche Tonfall galt und gilt, besonders im Westen Berlins, als Merkmal der Unterschichten; wer Bildung und Kultur zeigen will, vermeidet diese Sprache.

Das war und ist unter Berliner Künstlern oft anders. Auch Gottfried Schadow, auch Franz Krüger sollen so gesprochen haben. Das Berliner Idiom drückt Unsentimentalität und Nüchternheit aus, diese Sprache, die ja nie abgeschlossen ist, sondern Einflüsse ganz verschiedener Herkunft aufnimmt und sich anverwandelt, gilt als volkstümlich, realistisch und direkt. Das alles kam Max Liebermanns Weltsicht entgegen.

Dazu kam, dass seine Großeltern die Sprache der Juden aus Märkisch Friedland gesprochen haben, in der das Jiddische stark anklang. *Mauscheln* nannte man diese Art zu sprechen abfällig, sie galt als unfein. Max Liebermanns Eltern und Onkel und Tanten werden sich Mühe gegeben haben, diese Sprache abzulegen und ein Deutsch zu sprechen, das keine Herkunft verrät.

Das Berlinische war für den jungen Max Liebermann eine Möglichkeit, sich seinerseits von seiner Herkunft abzusetzen, seine eigene Haltung auch durch seine Art zu sprechen zu zeigen. Er war sein Leben lang ohne Dünkel, aber er spürte natürlich den Abstand zwischen sich selbst, seiner Familie und den Waschweibern und Putzfrauen, die ins Haus am Pariser Platz kamen und die er schon als Kind zeichnete. Später waren es die Arbeiter im Rübenfeld, die Gänserupferinnen und Flachsspinnerinnen, die ihn faszinierten, die er malte. Sie lebten in einer anderen Welt, vielleicht war sein Sprachduktus auch ein Versuch, den Abstand zu dieser Welt zu verringern.

In seiner Rundfunksendung spricht er natürlich Hochdeutsch, immer sprach er ein gutes Deutsch, auch wenn er berlinerte. Manche der ihm in den Mund gelegten Aussprüche, die lautmalerisch wiedergegeben sind, treffen daher nicht das Wesen seiner Sprechweise. „Fein und diskret" nannte der Kunsthistoriker Karl Scheffler, der Liebermann gut kannte, dessen „Berlinertum". Nie brach er Regeln der deutschen Sprache, nie verwechselte er Fälle oder benutzte falsche Begriffe. Was er liebte und benutzte, war der Klang des Berlinischen, die pointierte Lakonie, das dichte Nebeneinander von Witz und Melancholie. Oberflächliche Hörer hörten freilich nur den Witz.

Max Liebermann: Die Heimkehr des Tobias, Öl auf Leinwand, 1934,
Israel-Museum, Jerusalem

Aber auch in der Kindersendung von 1932, in der seine Sprache frei ist von Ironie und typischen Berliner Ausdrücken, schwingt das Berlinische im Tonfall mit. Oft sprach er ein leichtes ch statt des g. Er überlechte, wohnte in der Burchstraße, der Großvater hechte und pflechte seinen Garten... Er sprach von seiner Jujend, seinen Aujen. Nicht so deutlich, wie es hier steht, aber es klingt an und erfreut Berliner Ohren, wie es andere vielleicht befremdet.

Die Rundfunksendung vom April 1932 endete damit, wie Max Liebermann in Steffecks Atelier Pinsel und Palette in die Hand bekam und zum ersten Mal in seinem Leben in Öl malte.

Max Liebermanns Leben endete am 8. Februar 1935, wenige Monate zuvor hatte er den Pinsel aus der Hand gelegt. Seine letzten in Öl gemalten Bilder haben den Titel *Die Heimkehr des Tobias*, nach der alttestamentarischen Geschichte aus Buch Tobit, mit der sich auch Rembrandt am Schluss seines Lebens beschäftigt hatte. Mit Rembrandt hatte Max Liebermann Zeit seines Lebens in einer inneren Auseinandersetzung gestanden. Das Helldunkel, das sanfte Licht, umgeben von Düsternis, die Härte und der Realismus hatten schon den jungen Max Liebermann fasziniert, als Rembrandt noch als vulgär und profan galt. Auf seiner Hochzeitsreise mit Martha war der junge Ehemann 1884 zunächst nach Braunschweig gefahren, um ihr die fünf Rembrandts im Herzog-Anton-Ulrich-Museum zu zeigen.

Liebermanns letzte Bilder nahmen diese Verbindungslinie wieder auf. Aber nun war er selbst am Ende, die *Heimkehr des Tobias* wurde Abschied und Heimkehr des Malers zugleich.

Bildnachweis

akg-images: Cover, S. 91

bpk – Bildagentur für Kunst, Kultur und Geschichte:
S. 16, 19, 22, 36, 61, 73

Bundesarchiv: S. 6, 14, 95

Landesarchiv Berlin, Fotosammlung: S. 50, 76

Stiftung Neue Synagoge Berlin – Centrum Judaicum:
S. 47, 83, 86f.

ullstein bild: S. 9, 25, 45, 71

Das Liebermann-Buch, hg. von Hans Ostwald,
Berlin 1930: S. 27f., 33, 53, 66f., 69

Max Liebermann. Jahrhundertwende,
hg. von Angelika Wesenberg, Berlin 1997: S. 42

Max Liebermann, 1927